Fferm ar Ras

FARM CHASE

Fferm y Tarw Du

Rod Campbell

DREF WEN

Dyma'r tarw dig

THIS IS THE ANGRY BULL

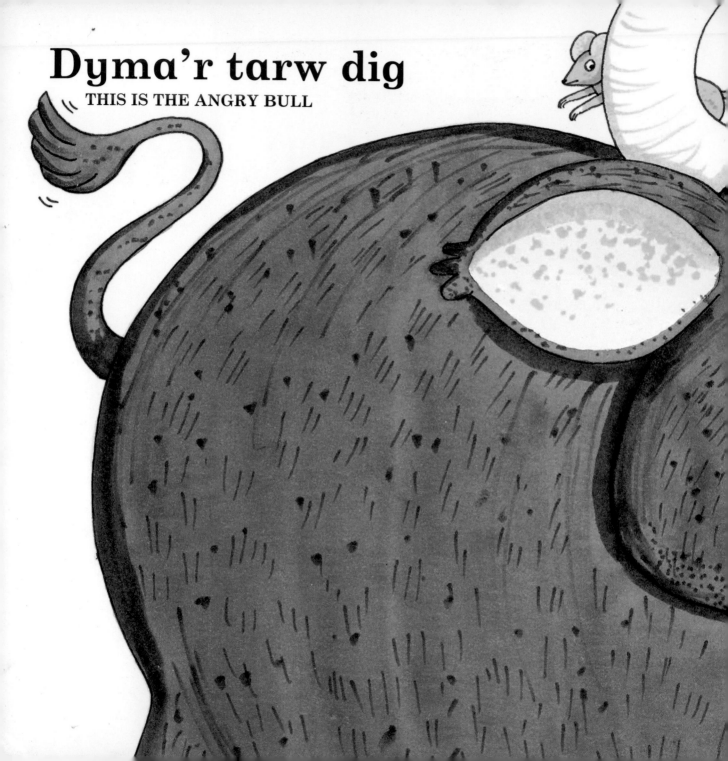

Rrrr! Rrrr!

a redodd ar ôl y ...
WHO CHASED THE ...

fuwch, a redodd ar ôl y ...

COW, WHO CHASED THE ...

ddafad,
a redodd ar ôl y ...
SHEEP, WHO CHASED THE ...

mochyn,
a redodd ar ôl y ...

PIG, WHO CHASED THE ...

ci, a redodd ar ôl yr ...
DOG, WHO CHASED THE ...

**hwyaden,
a redodd ar ôl y ...**
DUCK, WHO CHASED THE ...

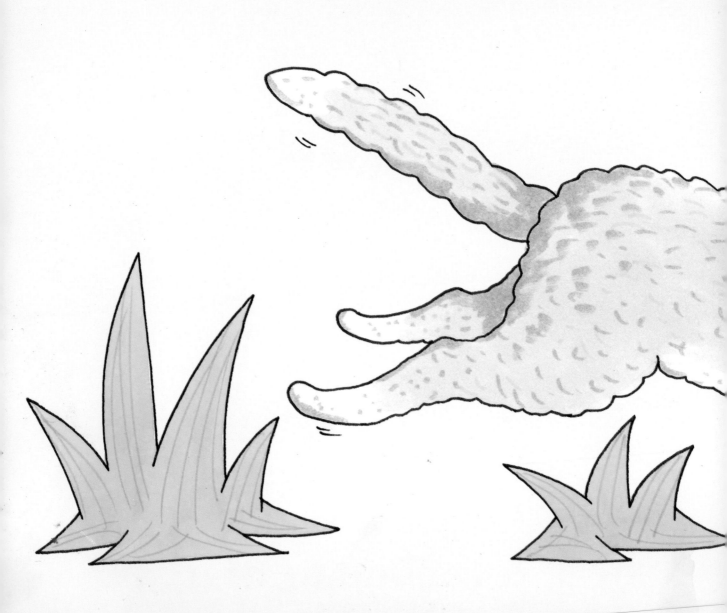

gath,
a redodd ar ôl y ...

CAT, WHO CHASED THE ...

llygoden ...

Ond wnaeth y llygoden ddim rhedeg ar ôl neb ...

MOUSE ... BUT THE MOUSE DIDN'T CHASE ANYBODY ...

dim ond gorwedd mewn cornel fach glyd ...

SHE JUST LAY DOWN IN A COSY LITTLE CORNER ...

Llyfr dwyieithog arall gan Rod Campbell:
Available in Welsh/English dual-language:

Annwyl Sw/Dear Zoo

DREF WEN
Hawlfraint © 2004 Rod Campbell
Hawlfraint © 2004 y fersiwn Gymraeg Dref Wen Cyf.
Cyhoeddiad Saesneg gwreiddiol 2004 gan Puffin Books
dan y teitl *Farm Chase*
Adargraffwyd 2010.
Cyhoeddwyd yn Gymraeg 2004 gan Wasg y Dref Wen,
28 Ffordd yr Eglwys,
Yr Eglwys Newydd, Caerdydd CF14 2EA
Ffôn 029 20617860.
Trosiad gan Roger Boore.
Cedwir pob hawlfraint.
Mae'r cyhoeddwr yn cydnabod cefnogaeth ariannol Cyngor Llyfrau Cymru.
Mae hawl moesol yr awdur/arlunydd wedi'i ddatgan.
Gwnaethpwyd ac argraffwyd ym Malaysia.